© 2016, Editorial LIBSA
C/ San Rafael, 4
28108 Alcobendas (Madrid)
Tel.: (34) 91 657 25 80
Fax: (34) 91 657 25 83
e-mail: libsa@libsa.es
www.libsa.es

Textos: María Mañeru
Ilustraciones: Susana Hoslet Barrios
Edición y maquetación: Equipo editorial LIBSA

ISBN: 978-84-662-3236-4

DL: M 33385-2015

Cuentos de piratas

LIBSA

El aro de oro

Hasta quien menos te lo esperas tiene el corazón de un enamorado.

Cuentan que una vez existió un pirata muy romántico que estaba profundamente enamorado de una princesa. Y la verdad es que la princesa no le hacía mucho caso, porque en aquellos tiempos estaba mal visto que las princesas tuvieran romances con los piratas. Sin embargo, el pirata no se rendía y le traía mil regalos de cada viaje: delicadas flores que solo crecían en las islas desiertas, monedas exóticas de su último botín, un papagayo de todos los colores y hasta un barril de aromáticas manzanas. Y tantos y tantos regalos le hizo, que, al final, la princesa se vio en la obligación de corresponderle con algo y le dio, como recuerdo, un aro de oro de su joyero.

El pirata recogió embelesado aquel obsequio, y para llevar siempre consigo el recuerdo de su amada princesa, se colocó el aro en la oreja, a modo de pendiente. Aquella joya tenía la fuerza de su amor y con él el pirata se sentía tan valiente como nunca en su vida, así que él solo fue capaz de hacerse con un gran tesoro y hasta descubrir una isla desconocida. Y gracias a su riqueza, se convirtió en un pirata distinguido y la princesa se casó con él.

Ahora ya sabes por qué los piratas suelen llevar un aro de oro en la oreja: en el fondo, son todos unos románticos...

El pirata Llegotarde

¡Para ser puntual y no llegar tarde, nada mejor que mirar las agujas del reloj!

Había una vez un pirata tardón que hacía esperar a todo el mundo y por eso le llamaban Llegotarde. Llegotarde llegaba tarde al desayuno, a la comida, a la merienda y a la cena, se ponía a fregar la cubierta del barco cuando ya estaba limpia y entraba al abordaje cuando ya había acabado el saqueo.

−¿Qué vamos a hacer con Llegotarde? -se preguntaban los demás piratas.

Un día, una sirena asomó la cabeza del agua y le dio un regalo a Llegotarde. Nuestro pirata, muy contento, abrió aquel paquete. Dentro había un raro objeto redondo que hablaba una lengua desconocida: «Tic, tac, tic, tac». Tenía un brazo largo y otro corto que se movían sin parar, aunque muy despacio.
Y como no sabía para qué servía, Llegotarde lo puso como adorno en su camarote.

A la mañana siguiente, el objeto empezó a gritar justo cuando salía el sol.

¡¡¡¡Rrrriiiinnnggggg!!!!

¡¡¡¡Rrrriiiinnnggggg!!!!

Llegotarde se asustó
un poco, pero vio
que era justo la hora
de levantarse y se
puso en pie. Todos los
demás seguían dormidos,
así que nuestro
amigo se preparó
el desayuno y
cuando los otros
piratas se despertaron,
vieron con sorpresa
que, gracias al extraño
regalo, Llegotarde había
llegado pronto por
primera vez en su vida.

El pirata Sabelotodo

La humildad hace mejores piratas
que la soberbia.

Había una vez un pirata muy soberbio que creía saberlo todo y estar muy por encima de los demás. Se paseaba por el barco diciendo cosas desagradables y sacando todos los defectos a los trabajos del resto.

—La cubierta no se friega así. Yo sí que lo hago bien -le decía al grumete.

—No sabes pelar bien las patatas, yo lo hago mucho mejor -le decía al cocinero.

—¡Qué mal llevas el timón! ¡Deberías aprender de mí! -le decía al contramaestre.

Un día, hubo una gran
tormenta en el mar y mientras todos los
piratas intentaban achicar agua y seguir dirigiendo el buque para
que no se hundiera, el pirata Sabelotodo sufrió un mareo tremendo
que le obligó a quedarse encogido en un rincón hasta que se le
pasara. Sin embargo, a pesar de que no pudo hacer nada por
ayudar, ninguno de los otros piratas le dijo nada y además, cuidaron
de él una vez pasada la tormenta hasta que se recuperó del todo.

–He aprendido dos cosas -dijo entonces el pirata
Sabelotodo-: la primera, que no hago las cosas mejor
que los demás ni soy imprescindible y la segunda, que
puedo fiarme de estos
amigos que me
ayudan sin pedirme
nada a cambio.

7

El grumete Siete

Debes pedir las cosas por favor y dar las gracias... ¡aunque seas un terrible pirata!

En el barco del Capitán Uno todo iba numerado y, por supuesto, la tripulación también: si el capitán era Uno y el contramaestre era Dos, podéis imaginar que el resto de los tripulantes iban ordenados según su importancia: Tres era el cocinero, Cuatro el artillero, Cinco el cirujano, Seis el carpintero y el último de todos era el grumete Siete, al que todos daban órdenes de muy malos modos.

Siete era muy trabajador, pero estaba un poco harto de aquel trato, así que una tarde escribió en un papel:

POR FAVOR ME LO DEBES PEDIR SI LO QUIERES CONSEGUIR

Y lo puso en el palo mayor con unas chinchetas.

Pero los piratas (que rara vez destacan por su buena educación), siguieron gritando a Siete, que, por una vez... ¡no hizo ni caso!

¡¡POR FAVOR!!

Nadie fregó la cubierta y aunque no era cómodo que todo estuviera sucio, los piratas no dijeron «por favor».

Nadie ordenó los camarotes y aunque era terrible no encontrar nada, los piratas no dijeron «por favor».

Nadie peló las patatas y aunque no estaban muy buenas con piel, los piratas se las comieron y no dijeron «por favor».

Entonces un golpe de viento hizo un agujero en la vela y... ¡nadie la zurció!

–¡Socorro, no sabemos coser! –gritaron los piratas muertos de miedo.

Y entonces, el capitán, antes de que su barco se fuera a pique, se acercó a Siete y, muy suavemente, le dijo:

–Por favor... ¿podrías coser la vela?

–Por supuesto –contestó Siete muy contento.

Y desde entonces, en ese barco todo se pide por favor.

9

El tesoro más grande
del océano

La avaricia rompe el saco… y hundió el barco.

En mitad de un bosquecillo, justo detrás de los arbustos, había una charca en la que vivía una colonia de ranas y sapos, entre las que estaban la ranita Marina y el sapito Yago, que eran dos amigos muy soñadores.

Una mañana, los dos amiguitos decidieron hacerse piratas, así que decidieron construir su propio barco con una gran hoja muy verde a la que añadieron un pañuelito como vela. En un palillo, izaron su bandera pirata y muy contentos, se hicieron a la mar. Ciertamente, nunca habían recorrido toda la charca, así que al descubrir la orilla del otro lado, se sintieron realmente felices.

–¡Exploremos esa playa desierta! -exclamó Marina.

Atracaron su barco y caminaron por tierra. Justo aquella mañana, unos niños habían ido a bañarse a ese lado de la charca y se dejaron olvidada una bolsa llena de canicas. Al verlas, Yago gritó:

–¡Un tesoro, un tesoro!

Y los dos bravos piratas decidieron llevarse tan fastuoso botín en su barco. Subieron primero una canica y el barquito se hundió un poco. Luego subieron otra, y otra y otra. Y cada canica que subían, hacía hundirse un poco más el barco. Pero Marina y Yago estaban tan entusiasmados pensando en lo ricos que eran, que no tuvieron en cuenta el peso de las canicas y volvieron a hacerse a la mar, de regreso.

A mitad de la charca, el frágil barquito no pudo soportar más tanto peso y empezó a hundirse, y Marina y Yago tuvieron que saltar y volver a nado por haber sido tan avariciosos.

El lobo de mar

Todos los papás quieren ver felices a sus hijos.

Hubo una vez un lobo que vivía en el bosque como todos los lobos. Era un lobo feroz muy famoso que se dedicaba a asustar a las Caperucitas y los cerditos que pasaban por su bosque, pero como ya se estaba haciendo mayor, un día, llamó a su hijo y le dijo:

–Ya estoy viejo para seguir persiguiendo a la gente, así que he pensado dejarte el puesto a ti y retirarme.

–Pero papá –respondió el lobito–, yo no quiero ser un lobo de bosque como tú...

–¿Cómo que no? -se enfureció papá lobo-. ¿Pues qué otra cosa quieres ser?

–Pues... ¡me gustaría ser un lobo de mar!

–¿Un lobo de mar? –se escandalizó papá lobo–. ¡Eso sería un deshonor para la familia!

–¿Por qué? –preguntó el hijo–. Los lobos de mar pueden ser también terroríficos: hacerse piratas y capitanear un barco con el que surcar los siete mares, llevar anillos de oro en las orejas y un loro en el hombro, quizá un parche en el ojo o una pata de palo y dedicarse a buscar tesoros y vivir aventuras...

A papá lobo todo aquello no le pareció tan mal y, por fin, dio su consentimiento, porque en el fondo, aunque era muy, pero que muy feroz, quería que su hijo fuera feliz.

Ahora ya sabes por qué a algunos piratas los llaman «lobos de mar».

13

La granja pirata

Quien tiene un amigo imaginativo y con ganas de jugar, tiene el mayor de los tesoros que existen en este mundo.

Os parecerá una locura, pero así ocurrió. Un día, el perro pastor se despertó con ganas de ser pirata y decidió que iba a convertir la granja en un verdadero galeón. La proa de su barco sería el gallinero y la popa, el establo. Primero colocó en la parte más alta del tejado una bandera negra con una siniestra calavera. Después, pintó a todas las ovejas un parche en el ojo, colocó al gato una pata de palo, puso un pañuelo rojo en la cabeza a todos los pollitos y con semejante tripulación se hizo a la mar imaginariamente.

–¡Al abordaje!
–gritó.

Y todos los animales saltaron sobre la hierba muy contentos.

–¡Vamos, mis valientes! -volvió a gritar.

Y se los llevó a todos a una isla desierta que casualmente estaba en el mismo prado donde pastaban las vacas, en busca de un tesoro escondido.

Por fin, se hizo de noche y toda la tripulación se fue a dormir a sus camarotes. Al día siguiente, apenas salió el sol, los animales de la granja vieron que su barco pirata había desaparecido, pero a cambio, sobre el gallinero había un escudo con una preciosa torre almenada y el perro pastor, vestido de caballero medieval, les gritaba:

–¡Adelante! ¡A por el dragón de tres cabezas!

El garfio de plomo

Mantén tu palabra… aunque seas un pirata.

Hubo una vez un pirata que había perdido una mano… en las fauces de un tiburón. El caso es que no tenía mano y la verdad es que se apañaba muy mal, sobre todo para abotonarse la chaqueta, así que decidió encargar un garfio. El pirata fue al taller del artesano, dejó que le tomara medidas y, al cabo de unos días, fue a recogerlo. Era un garfio muy bonito, todo labrado, pero el pirata era muy tacaño, así que se puso a criticarlo para pagar menos de lo convenido.

–¡Vaya! -exclamó-. Menudo garfio tan feo… Es poca cosa para un pirata tan elegante como yo, así que solo te pagaré la mitad.

El artesano se enfadó mucho, pero no le convenía hacer frente a un pirata, así que aceptó el pago. Sin embargo, cuando el pirata ya se marchaba, le lanzó una maldición:

–¡Mucho te pesará haberme tratado así!

Y entonces, el garfio se transformó por completo: perdió sus preciosos relieves y su brillo y se convirtió en una tosca pieza de plomo que pesaba como mil balas de cañón. Viendo que con un garfio tan pesado sin duda podía morir ahogado, el pirata tuvo que rectificar, pedir disculpas y pagar todo lo que debía.

Desde entonces, luce un hermoso garfio que parece de oro puro.

17

El pirata Barbablanca

Todos los oficios tienen cosas buenas.

Cuando en el colegio decidieron celebrar el día del abuelo, invitaron a todos los abuelos a dar una charla en clase. El abuelo de mi amigo Óscar, que era panadero, repartió una receta de bizcocho. El abuelo de mi amigo Dani, que era policía, enseñó su antiguo uniforme. El abuelo de mi amiga Rocío, que era médico, trajo su fonendoscopio para escuchar todos los corazones.

Entonces le tocó el turno a mi abuelo.

–Cuando yo era joven –comenzó–, tenía un oficio en el que siempre estaba viajando... Gracias a eso, aprendí mucha geografía.

–¡Qué interesante! –dijo el maestro–. ¿Y se ganaba mucho dinero?

–¡Sí, mucho! ¡Un verdadero tesoro! Además, en mi oficio se integraba a todas las personas, también a los discapacitados. Sin ir más lejos, uno de mis compañeros era cojo y el otro tuerto.

–¡Oh! ¡Eso está muy bien! –intervino el maestro.

–Y por supuesto -continuó mi abuelo-, era un oficio en el que se amaba a los animales, incluso teníamos una mascota: ¡un precioso loro!

–Vaya... -dijo el maestro, impresionado-. ¿Y qué oficio era ese tan especial?

–Yo era **pirata** -contestó mi abuelo, dejando al maestro con la boca abierta.

Y es que los piratas también se hacen viejecitos, así que, como todo el mundo, llega un momento en el que se jubilan. ¡Como mi abuelo!

Piratas
en verso

Un pirata desobediente
no es bueno ni valiente.

Érase que se era
tres piratas cualquiera
que surcaron los siete mares
sin pedir permiso a sus padres.

Zarparon un martes
(ni te cases ni te embarques),
en busca de una fragata
o un gran tesoro pirata.

Lo que encontraron fue un tiburón
con dientes tan grandes y afilados
que rompió el barco a bocados
creando una gran confusión
y dejando a los piratas mojados.

Volvieron a casa en un bote,
sin tesoro, ni joyas ni lingotes,
y tuvieron que pedir perdón
por su desobediencia,
su falta de precaución,
y su poca prudencia.

Y esa noche los tres piratas
se durmieron en sus camas
con tres abrazos y tres besos
a pesar de ser tan traviesos.

La pirata novata

Los niños y las niñas pueden hacer las mismas cosas.

Había una vez un puerto pirata al que llegaban casi todos los barcos cargados de tesoros. Los piratas cobraban su parte y durante un tiempo, se dedicaban a malgastarla hasta volver a hacerse a la mar. Los niños que vivían en el puerto escuchaban sus historias y aventuras de corsarios y todos decían:

–¡De mayor, seré pirata!

–¡Yo también seré pirata! -dijo una niñita.

–¿Tú? -dijeron los otros niños echándose a reír-. ¡Eso no puede ser! ¡Las niñas NO son piratas!

–¿Y por qué no? -insistió la niñita.

Y no hubo quien la convenciera de que no podía ser pirata.

Para demostrárselo, se coló en uno de los barcos que salían
ese día y, cuando ya estaban en alta mar, los piratas decidieron que
ya no podían devolverla a tierra, y la hicieron
grumete. Es verdad que al principio no hacía
bien las cosas, porque era novata, pero con el
tiempo fue aprendiendo y la verdad es que no
había ninguna diferencia entre ella y los otros
grumetes. Así que cuando por fin regresaron,
todos los niños que tanto se habían
burlado de ella tuvieron que
reconocer que estaban
equivocados.

–Serás una gran pirata
–le dijeron.

–No –contestó ella–.
He decidido que no
seré pirata. ¡Ahora lo
que quiero ser es soldado!
No, mejor...

¡bombera!

El loro **Bartolo**

Compartir siempre te dejará buen sabor de boca.

En una ocasión, en el barco del capitán Huracán, hubo una gran disputa por la comida: a toda la tripulación les encantaban las galletas, así que estaban siempre peleándose por ellas porque nadie las quería compartir. Entonces, el capitán Huracán colocó al loro Bartolo (que era de su total confianza) vigilando el barril de galletas que quedaba.

Al poco rato, se acercó un pirata y, creyendo que el loro estaba dormido, abrió el barril con sigilo y robó una galleta, pero justo entonces, el loro Bartolo dijo:

–Quien come
y no es generoso,
no le parecerá
sabroso.

Y ciertamente, cuando la mordió, la galleta le supo a gusanos podridos.

Un rato después, apareció otro pirata que también robó una galleta del barril. Ya iba a darle un mordisco, cuando el loro Bartolo dijo:

–Quien come y no es generoso, no le parecerá sabroso.

Y así fue, el pirata tuvo que escupirla, porque aquella galleta sabía a rayos.

Un poco más tarde, llegó el alegre grumete Ismael.

–Bartolo, Bartolo -llamó al loro-, dame una galleta del barril y nos la comeremos juntos a medias.

Y aquella galleta estaba tan rica, tan rica, que el resto de los piratas egoístas no pudieron creerlo.

¡Capitán al agua!

No hay mejor tripulación que la que trabaja en equipo.

El pequeño Carlos quería ser pirata. Nada le hacía más ilusión, así que cuando por su cumpleaños le regalaron un disfraz completo de pirata, con su pañuelo rojo, su parche, su garfio y su trabuco, decidió que quizá había llegado el momento de hacerse a la mar. Infló su barquita, colocó una vela y una bandera pirata, y la empujó hacia la playa.

–¿Adónde vas, Carlos? -le preguntó un cangrejo.

–¡Voy a ser pirata! -contestó entusiasmado el niño.

–Pues entonces necesitarás una tripulación -dijo el cangrejo.

–¡Ups! -exclamó Carlos-. ¡Se me había olvidado la tripulación! ¿Quieres tú venir conmigo?

El cangrejo aceptó gustoso y como él, también se animaron a subir a bordo dos calamares, una gaviota y un pulpo.

Apenas habían navegado unos metros, cuando la barquita se pinchó y empezó a hundirse y el pobre pirata Carlos, al ver que el agua le cubría, empezó a patalear.

¡Capitán al agua!

-gritó el cangrejo.

Entonces, el resto de la tripulación acudió a ayudarle: los calamares, el pulpo y el cangrejo tiraron de él nadando con fuerza hacia la orilla y la gaviota lo sostenía tirando de su camisa con el pico para que no se hundiera.

–¡Uf! –dijo Carlos cuando por fin se vio a salvo en tierra firme.

–¿Sigues queriendo ser pirata? –le preguntó el cangrejo.

–¡Por supuesto! ¡Ahora más que nunca! ¿Quién no lo haría con esta tripulación?

La isla desierta

La paciencia y el buen humor son dos tesoros para cualquier pirata.

Una vez, el barco del temido capitán pirata John Shark naufragó en mitad del océano, pero John Shark y un pequeño grumete de su tripulación lograron salvarse agarrados a un madero que flotaba en el agua y llegaron a una isla desierta en la que no había nada ni nadie.

–¡Arg! –gritó enfurecido John Shark–. Aquí no hay nada que hacer... ¡Tendremos que esperar a que un barco nos rescate!

El capitán se apostó en la parte más alta de la isla con su catalejo y se dedicó a mirar hacia el horizonte, dando patadas a las piedras y maldiciendo su mala suerte. Mientras, el grumete construyó una cabaña con ramas, buscó frutas y pescó para comer y se dedicó a explorar la isla.

Cuando, unos cuantos días después, un barco se acercó a la isla y los recogió, se encontró a un impaciente John Shark, famélico y enfadado; y a un pequeño grumete, con un aspecto tan saludable que incluso parecía que había crecido... Y que no venía solo: arrastraba un gran cofre de monedas de oro que había encontrado explorando la misteriosa isla desierta, mientras el capitán perdía el tiempo quejándose.

29

El cañón que no quería disparar

*La paz es más hermosa
que la guerra.*

Aquel era un barco pirata portentoso, enorme, extraordinario. Además de su porte majestuoso y de sus inmensas velas, poseía la mejor artillería de toda la bahía: ¡nada menos que 100 cañones! Y entre todos aquellos cañones, había uno que era diferente a los demás: era un cañón pacífico y no quería disparar. Cada vez que había un abordaje, todos los cañones se ponían a disparar como locos, pero nuestro cañón se negaba a soltar ni siquiera una bala y toda la tripulación lo había dejado por imposible, pensando que estaba roto.

Un día, llegó un nuevo pirata que se creía el más listo y valiente de todos y, para darle una lección, los demás piratas le dijeron:

–Si eres tan listo, a ver si consigues hacer funcionar ese cañón.

–De acuerdo –aceptó el pirata–. Tengo tan buena puntería, que de un solo disparo le daré a esa palmera.

Y efectivamente, el pirata intentó disparar una bala, pero el cañón pacífico no quería hacer daño a la palmera y usó toda su fuerza para no disparar. Enfurecido, el pirata volvió a intentarlo, pero de nuevo el cañón retuvo la bala y no disparó. Entonces todos los piratas comenzaron a burlarse del pirata fanfarrón y al cañón le dio pena, así que rellenó su cuerpo con una pólvora especial y se quedó esperando a que el pirata disparara de nuevo.

Y entonces... ¡unos maravillosos fuegos artificiales salieron disparados! Y todos los piratas se quedaron asombrados de lo que se puede hacer con un cañón.

Banderas a la moda

Los buenos piratas no se pelean: negocian.

Una tarde de verano muy calurosa y aburrida, los hermanos Rodríguez decidieron hacerse piratas.

–Lo primero -dijo Bruno, el hermano mayor- es hacer una bandera pirata.

Así que se pusieron a dibujar. Bruno Rodríguez hizo una bandera negra con una calavera y dos tibias cruzadas. Pero Pedro Rodríguez hizo una bandera roja con una gran tela de araña y un superhéroe en medio.

–Esa bandera no vale -dijo Bruno.

–¿Por qué no? -preguntó Pedro.

–Pues porque todos los piratas tenían la bandera negra con la calavera.

–Pues vaya aburrimiento, todos iguales -objetó Pedro-. Esta es más original.

–Que no, que no puede ser esta, que no da miedo ni nada -insistió Bruno.

Y como no se ponían de acuerdo, decidieron ir a preguntar a su mamá.

–Pues si yo fuera pirata -dijo mamá-, pondría en mi barco una bandera a la moda: con topos, o rayas, de flores, o de mariposas.... ¡de muchos colores!

Los dos hermanos Rodríguez se quedaron en silencio. Sin duda, aquellas banderas eran mucho peores que las suyas. Finalmente, decidieron que serían piratas con dos banderas: una negra para los lunes, martes y miércoles y otra roja para el resto de la semana.

El capitán Qué Dirán

¡No te preocupes del qué dirán y vive la vida!

Me contaron en una taberna que hubo una vez un capitán pirata cuya única preocupación era su propia fama y saber lo que decían de él. El primer día, se levantó por la mañana y se pasó horas decidiendo qué ponerse.

–El sombrero rojo, no –le dijo a su ayudante–, porque podrían decir de mí que voy demasiado llamativo. Pero el azul tampoco, porque entonces dirán que soy demasiado discreto.

Al final, el Capitán Qué Dirán se quedó en pijama. Entonces quiso poner rumbo a algún sitio.

–Si mando orientar el barco hacia el Sur dirán de mí que solo me gustan las playas cálidas y que soy vago, pero si lo oriento hacia el Norte, donde están las islas de la Esmeralda, dirán que soy demasiado ambicioso...

Al final, el barco del Capitán Qué Dirán quedó a la deriva.

De pronto, vieron venir un barco ricamente adornado, y el capitán Qué Dirán se detuvo a pensar:

–¿Debo gritar «¡Al abordaje!»? Porque si lo hago, dirán de mí que soy un pirata demasiado clásico, pero si grito «¡Al ataque!», entonces dirán que soy demasiado violento. ¿Y por qué no decir: «¡Vamos allá!»? Mmmm... No... Entonces dirán que soy cobarde...

Y al final, el barco pasó de largo.

De este modo, al Capitán Qué Dirán se le pasó el día sin hacer nada de nada, porque siempre estaba dudando para evitar las habladurías.

La orquesta pirata

La música amansa a las fieras.

E l capitán Do-re-mí era un apasionado de la música y, como los piratas pasan tanto tiempo aburridos en alta mar, decidió montar una orquesta con su tripulación, en la que él sería el director. El contramaestre tocaría el tambor; el cocinero, la armónica; el cirujano, la flauta y el grumete, unos platillos.

Durante días y días no hicieron otra cosa que ensayar, hasta tal punto, que perdieron el interés por pelear y lo que hicieron fue limpiar bien la cubierta del barco, engalanar los palos con banderines de colores y colocar un escenario desde el que poder dar un gran concierto al día siguiente.

Pero esa noche, el barco del terrible
pirata Malacara se enfrentó a ellos. Comenzó a
disparar sus cañones y les amenazó con un
abordaje con todos sus hombres armados hasta
los dientes. Por toda respuesta, el capitán Do-re-mí
sacó su batuta, colocó a su tripulación con sus
mejores galas y sus instrumentos en escena y comenzaron
a tocar. La dulzura de sus notas hizo que se callaran los cañones,
las gaviotas se posaron para ver el concierto, y grupos de peces, pulpos
y hasta tiburones asomaron la cabeza fuera del agua para poder
presenciar aquel gran espectáculo. ¡Incluso las sirenas salieron del
agua y se sentaron en la cubierta para verlo! Y los piratas de
Malacara escucharon y, al terminar, se pusieron a aplaudir.

Skull, el fanfarrón

Los piratas más valientes son los que dicen siempre la verdad.

Cuando llegó el día del cumpleaños del gran capitán Skull, le organizaron una fiesta a bordo a la que acudieron todos los piratas de la zona. Hubo una gran comida y cuando trajeron la tarta, el capitán Skull se puso en pie y habló para todos los invitados:

–Gracias a todos por vuestra asistencia, aunque no me extraña, porque siendo como soy el más famoso y valiente de los piratas que existen...

Como veis, no era un hombre modesto. Los invitados se removieron un poco en sus asientos, molestos por aquellas palabras, pero no dijeron nada.

–Me merezco esta tarta y esta fiesta –continuó el capitán Skull–, por mi valor en la batalla, ya que nada me da miedo y jamás retrocedo...

Y justo estaba diciendo todo esto, cuando un enorme tiburón asomó sus fauces por la borda. Skull dio un salto y se abrazó al palo mayor tan asustado que se puso a temblar y a gritar.

–Está bien –dijo entonces el tiburón–. Ya puedes bajar. Solo quería que dejaras de decir mentiras...

Información
para padres y maestros

*L*a mejor manera de acercarse a los niños y llamar su atención es siempre a través de sus personajes favoritos. Aunque la realidad es bien distinta, la figura del pirata se ha rodeado de un halo de aventura, heroísmo y romanticismo que resulta muy atractivo para los más pequeños y por eso, el hilo conductor de estos cuentos es una piratería idealizada en la que sus protagonistas enseñan valores a los niños sin dejar por eso de divertirles.

Cada cuento sugiere un mundo de fantasía, tratando al mismo tiempo un valor universal que puede buscarse en esta tabla:

AMABILIDAD Y PEDIR LAS COSAS POR FAVOR	El grumete Siete, 8
AMISTAD	El tesoro más grande del océano, 10 • ¡Capitán al agua!, 26 • El pirata Sabelotodo, 6
AMOR FAMILIAR	El lobo de mar, 12 • Piratas en verso, 20 • Banderas a la moda, 32
AMOR Y ROMANTICISMO	El aro de oro, 2
COOPERACIÓN Y TRABAJO EN EQUIPO	El grumete Siete, 8 • ¡Capitán al agua!, 26 • El pirata Sabelotodo, 6
EVITAR LAS HABLADURÍAS	El capitán Qué Dirán, 34
GENEROSIDAD	El loro Bartolo, 24
HUMILDAD	El pirata Sabelotodo, 6 • Skull, el fanfarrón, 38
IGUALDAD	La pirata novata, 22
NO HACER TRAMPAS	El garfio de plomo, 16
PACIENCIA	La isla desierta, 28
PACIFISMO	El cañón que no quería disparar, 30 • La orquesta pirata, 36
POSITIVIDAD	El pirata Barbablanca, 18 • La isla desierta, 28
RECHAZO DE LA AVARICIA	El tesoro más grande del océano, 10 • El garfio de plomo, 16
RESPETO A LOS MAYORES	El pirata Barbablanca, 18
SER OBEDIENTES	Piratas en verso, 20
SINCERIDAD	Skull, el fanfarrón, 38

Contenido